nivel **A2** colección grandes

Dalí

EL PINTOR DE SUEÑOS

COLECCIÓN GRANDES PERSONAJES

Autora: Laura Corpa
Coordinación editorial: Clara de la Flor
Supervisión pedagógica: Carmen Aguirre, Emilia Conejo
Glosario y actividades: Carmen Aguirre
Diseño: rosacasirojo
Corrección: Rebeca Julio
Ilustración de portada: Joan Sanz
Fotografías:
© Joan Vehí
© Laura Corpa
© Liliana Fernández
Bibliografía:
DALÍ, Salvador: *Diario de un genio*, Barcelona, Tusquets Editores, 2009.
DALÍ, Anna Maria: *Salvador Dalí visto por su hermana*, Barcelona, Ediciones del Cotal, 1949.
GIBSON, Ian: *La vida desaforada de Salvador Dalí*, Barcelona, Anagrama, 2003.
PARINAUD, André: *Confesiones inconfesables*, Barcelona, Editorial Planeta, 1977.
Agradecimientos: Joan Vehí
Locución: Luis García Márquez

© Difusión, Centro de Investigación y Publicaciones de Idiomas, S.L., 2014
ISBN: 978-84-16057-33-7
Depósito legal: B-06079-2014
Impreso en España por RARO
www.difusion.com

Dalí

EL PINTOR DE SUEÑOS

Índice

Dalí con un pan payés en la cabeza / Joan Vehí

Salvador Dalí

Pintor y escultor

«Desde mi adolescencia he tenido el vicio de pensar que todo me está permitido por el hecho de llamarme Salvador Dalí»

El gran masturbador, **1929** / Laura Corpa

pista 01

Introducción

Dalí es uno de los artistas más grandes de la historia del arte

Salvador Dalí trabajó toda su vida para ser un genio. El artista catalán fue un gran pintor, escultor, publicista[1] y escritor. El mundo entero lo conoce por sus pinturas y también por sus extravagancias[2]. Este libro es un viaje para entender mejor al artista, pero también para descubrir al hombre. Salvador era una persona real, sensible y muy creativa. El pintor se escondió siempre detrás de su personaje[3], de su famoso bigote[4] y de sus escándalos. Sin embargo, existió otro Dalí: un niño pequeño asustado por el recuerdo de su hermano, que murió antes de nacer él, un adolescente que amaba pintar sobre todas las cosas, un joven curioso y extravagante, un hombre que convirtió sus sueños en obras de arte[5]. Dominó todas las técnicas pictóricas, desde la surrealista hasta la hiperrealista, y hoy está considerado como uno de los artistas más grandes de la historia del arte.

En esta biografía conoceremos la influencia en su obra de sus amigos y su familia, su amor por su esposa, Gala, sus miedos

---

GLOSARIO

[1] **publicista:** profesión de la persona que hace anuncios para dar a conocer y vender mejor los productos de las marcas comerciales [2] **extravagancia:** algo que se hace que es raro, que no es habitual y, a veces, también provocador [3] **personaje:** persona de ficción en el mundo de la literatura y el cine [4] **bigote:** pelo que les crece a los hombres entre la nariz y la boca [5] **obra de arte:** resultado de un trabajo artístico

y sus mejores y peores momentos. Dalí pintó alrededor de 1500 cuadros, hizo muchos dibujos, esculturas, ilustraciones y escenografías. Fue uno de los creadores de la película surrealista más famosa del mundo, *Un perro andaluz*, un publicista genial y un provocador. Mostró en sus obras todas sus obsesiones: el sexo, la muerte, el amor, el erotismo, las pesadillas[6], el paso del tiempo... Este libro es un pequeño recorrido por la vida y la obra del pintor de sueños, del creador de imágenes tan increíbles como los famosos relojes blandos. Salvador Dalí es uno de los artistas más admirados y populares de la historia. Sus obras de arte despiertan la curiosidad de miles de personas y, para muchos, su vida fue su mejor creación.

GLOSARIO
[6] **pesadilla:** mal sueño, sueño angustioso en el que se pasa miedo, obsesión

1. El pequeño rey Dalí

«Mi madre, en el Olimpo daliniano, es un ángel»

Salvador Felipe Jacinto Dalí Domènech nació en Figueras el 11 de mayo de 1904. Era hijo de Salvador Dalí Cusí y de Felipa Domènech, y nació casi diez meses después de la muerte de su primer hermano, también llamado Salvador, que murió cuando era un bebé.

Salvador Dalí fue un niño muy mimado[1] y sobreprotegido por su familia. Sus padres le daban todos sus caprichos[2] porque no querían verlo llorar. Incluso cuando nació su única hermana, Anna Maria, en 1908, siguió siendo el rey de la casa. Le encantaba recibir regalos y tenía una imaginación extraordinaria, pero era muy tímido[3]. Sus ataques de timidez le impedían[4] relacionarse con los otros niños. Sin embargo, disfrazarse[5] era una de sus pasiones, y en su casa muchas veces se vestía de «rey niño», con un manto[6] y una corona[7]. Estas características de su carácter explican por qué se construyó desde pequeño un personaje extravagante y

---

GLOSARIO

[1] **mimar:** dar a alguien todo lo que quiere; se mima sobre todo a los niños pequeños
[2] **capricho:** deseo arbitrario y pasajero [3] **tímido:** introvertido, persona que tiene vergüenza
[4] **impedir:** no dejar a otro hacer algo [5] **disfrazarse:** vestirse de una manera que indica que eres otra persona diferente [6] **manto:** capa [7] **corona:** círculo de metal precioso que se pone en la cabeza como símbolo del poder del rey

exhibicionista. Detrás de este personaje se escondía siempre un Dalí tímido e introvertido.

La influencia de sus padres

El carácter de sus padres influyó muchísimo en Salvador Dalí. Sus dos personalidades, sus recuerdos y la educación recibida estuvieron siempre presentes en la obra del artista. Su madre, Felipa, era una mujer inteligente y tenía una gran sensibilidad para todo lo artístico. Hacía preciosas figuritas de cera[8] y dibujaba animales fantásticos con lápices de colores que maravillaban a Salvador cuando era pequeño. Dalí la recuerda mostrándole películas cortas en un proyector de cine[9]. Así descubrió un mundo increíble de imágenes y fantasía que nunca lo abandonó. Felipa animó a su hijo desde sus primeros dibujos porque estaba fascinada por sus dotes[10] artísticas. Su muerte en 1921, cuando Dalí tenía solo diecisiete años, fue el golpe más duro de su vida.

Su padre, Salvador, notario[11] en Figueras, era un hombre muy fuerte y con mucha personalidad. Era apasionado y autoritario, y se declaraba a sí mismo librepensador y ateo[12]. Dalí describe a su padre como «un gigante de fuerza, de violencia y de amor». Él decidió llevar a su hijo a una escuela pública en lugar de llevarlo a una religiosa. En la escuela, sus compañeros se reían de él porque parecía un «niño rico»; por eso, se volvió más y más tímido y se aisló[13] completamente. A veces gritaba durante noches enteras porque veía monstruos, y su madre no podía calmarlo.

GLOSARIO

[8] **figurita de cera:** pequeña escultura hecha con cera [9] **proyector de cine:** aparato que sirve para reproducir películas [10] **dote:** habilidad innata, talento [11] **notario:** profesión que consiste en hacer válidos contratos, testamentos, préstamos, etc. [12] **ateo:** persona que no cree en Dios [13] **aislarse:** no relacionarse con nadie, estar siempre solo

Durante toda su vida, Salvador Dalí tuvo conflictos con su padre. Se rebeló contra él y lo provocó con sus acciones y sus obras. Para imaginar el aspecto del padre, lo mejor es mirar el *Retrato de mi padre* (1925), que Dalí pinta a la manera «clásica» con diecinueve años. Su presencia es imponente y su mirada firme[14]. «Mi padre fue, en efecto, no solo el hombre a quien más he admirado, sino también al que más he imitado; y, sin embargo, siempre lo he hecho sufrir».

El descubrimiento del arte

El padre de Dalí le regaló los libros de arte de Gowans, una famosa colección con las obras maestras[15] de la pintura. Y él miró y memorizó las láminas[16] durante muchísimas horas. Un verano, cuando tenía doce años, pasó unas vacaciones en el pueblo de Cadaqués con la familia Pichot, muy amiga de sus padres. Allí descubrió las obras de Ramón Pichot, un pintor que trabajaba en París y que era un apasionado del impresionismo. Dalí miraba fascinado las manchas[17] de pintura que estaban hechas aparentemente sin sentido: «Nunca había experimentado esa sensación de hechizo[18] y de magia. ¡El arte era eso!».

Después de ese descubrimiento, Dalí comenzó a pintar con gran pasión, desde el amanecer hasta la noche, e intentó comprender la relación de la luz y los colores. Pintó sobre lienzo[19] blanco y decidió que era impresionista. Su padre reconoció sus dotes artísticas y lo llevó a un curso de dibujo con el maestro Juan Núñez para convertirlo en profesor de dibujo. Salvador siempre recordó, agradecido, a su maestro Juan Núñez. Lo respetaba y decía que era uno de los profesores que más le enseñó. A los trece

---

GLOSARIO

[14] **firme:** decidido, que confía en sí mismo y no le teme a nada [15] **obra maestra:** pieza de gran importancia artística [16] **lámina:** página decorada con una imagen [17] **mancha:** (aquí) parte de algo que tiene un color distinto e irregular [18] **hechizo:** (aquí) sensación muy fuerte de asombro, atracción y disfrute que nos produce una persona o algo que vemos [19] **lienzo:** tela sobre la que se pinta

años Dalí recibe el Diploma de Honor de la Escuela Municipal de Dibujo. La hermana de Dalí, Anna Maria, recuerda que su padre estaba tan orgulloso[20] por este premio que organizó en la casa una exposición con los dibujos de su hijo e invitó a todos los asistentes a comer erizos de mar[21], el plato favorito de la familia para celebrar los momentos importantes.

Durante su adolescencia, cada verano, tras estudiar todo el curso en Figueras, Dalí volvía a su lugar favorito, Cadaqués, un pueblo junto al mar donde era muy feliz trabajando en sus pinturas. De esa época existen muchísimas obras de Dalí que retratan[22] Cadaqués: sus árboles, sus casas blancas, sus barcas en el mar, la gente del pueblo. También retrata a su familia: a su madre, a su padre, a su hermana, a su abuela, e incluso se autorretrata. El artista adolescente evoluciona en su obra: del impresionismo al puntillismo y al descubrimiento del cubismo. En 1918, con solo catorce años, expone[23] sus cuadros junto a otros treinta artistas en Figueras. Los críticos locales admiran su obra y consideran que tendrá una gran carrera[24]: «Salvador Dalí será un gran pintor».

GLOSARIO

[20] **orgulloso:** satisfecho y contento por sentir que se ha hecho algo importante [21] **erizo de mar:** animal marino, pequeño y redondo, que tiene el cuerpo cubierto de pinchos de color negro [22] **retratar:** reproducir la realidad en una pintura [23] **exponer:** mostrar, presentar en una exposición [24] **carrera:** desarrollo profesional de una persona

Los primeros cuadros de Dalí

Dalí fue un niño prodigio[1] y comenzó a pintar desde muy pequeño. Por ejemplo, el cuadro[2] *Paisaje del Ampurdán* (1914) lo pintó con solo diez años. El artista trabajaba mucho y probaba todas las técnicas pictóricas. Sus padres estaban preocupados porque Dalí estaba obsesionado con pintarlo todo y nunca salía de casa como los otros chicos de su edad. Pintó muchos paisajes de Cadaqués, naturalezas muertas y escenas de la vida diaria. Son muy interesantes los retratos[3] de su familia, como *Retrato de la madre del artista Doña Felipa Domènech de Dalí* (1920) y *Retrato de mi padre* (1925). Pintó estos retratos con solo dieciséis años. Dalí se autorretrató en muchas ocasiones, como en *Autorretrato en el estudio* (1919) y en *Autorretrato con cuello de Rafael* (1921). Evolucionó después hacia el cubismo, como podemos ver en *Composición cubista - Retrato de un personaje sentado teniendo una carta* (1923). Dalí ingresó con dieciocho años en la Real Academia de Bellas Artes, pero no fue un alumno como los demás. Cuando comenzó a recibir clases, ya conocía muchas técnicas pictóricas.

GLOSARIO

[1] **niño prodigio:** niño que se convierte en un genio desde muy pequeño
[2] **cuadro:** pintura [3] **retrato:** pintura que reproduce a una persona

Máscara surrealista

2. Un extravagante en la Academia de Bellas Artes de Madrid

«Hay que pintar sin ninguna doctrina estética, por el gusto de pintar»

S alvador Dalí, su padre y su hermana viajan a Madrid en septiembre de 1922. Salvador se examina de pintura en la Real Academia de Bellas Artes de San Fernando. Quiere ser interesante y diferente. Por eso se preocupa mucho de su aspecto[1]. Lleva el pelo largo, capa[2] y un bastón[3] dorado. Dalí pasa el examen de ingreso[4] en la Academia de Bellas Artes; su hermana y su padre vuelven a Figueras y él comienza a vivir en la Residencia de Estudiantes. Durante los primeros meses no se relaciona con casi nadie y es serio y estudioso. Va a clase, se queda en su habitación a pintar y todos los domingos visita el Museo del Prado para estudiar a los grandes maestros de la pintura, como Velázquez, un pintor al que admira muchísimo. Los demás estudiantes de la Residencia lo llaman «el artista» o «el pintor checoslovaco». No saben que Dalí es muy tímido y que tiene problemas para relacionarse. Un día, un estudiante de la Residencia llamado Pepín Bello pasa por la habitación de Dalí, que tenía la puerta abierta, y descubre uno de sus cuadros cubistas. En ese momento Dalí estaba muy

GLOSARIO

[1] **aspecto:** imagen física de una persona [2] **capa:** prenda de vestir de abrigo, es una tela que cae desde los hombros por la espalda hasta la mitad de las piernas o hasta el suelo [3] **bastón:** palo o tubo cilíndrico que se usa para apoyarse al andar [4] **examen de ingreso:** examen que se hace para ser admitido en un centro educativo

interesado en el movimiento cubista, y el pintor Juan Gris era para él un modelo a imitar. Pepín se sorprende y llama a sus amigos, entre los que estaban el futuro director de cine Luis Buñuel y el poeta Federico García Lorca, para que admiren la obra. Desde ese momento Dalí es admitido en el grupo y se hacen muy amigos. Así lo cuenta Luis Buñuel en sus memorias (*Mi último suspiro*): «Los tres andábamos siempre juntos[5]».

El triángulo Federico García Lorca, Luis Buñuel y Salvador Dalí
«Lorca fue el mejor amigo de mi adolescencia agitada[6]».

Luis Buñuel era de Aragón, tenía un carácter rebelde, independiente, le gustaba hacer deporte y tenía mucha confianza en sí mismo[7]. Llegó a la Residencia de Estudiantes en 1917 para estudiar Agronomía en la Universidad de Madrid. Federico García Lorca era de Granada, y llegó a la Residencia en 1919 para estudiar Filosofía, pero abandonó las clases para dedicarse a escribir. Buñuel define a Lorca como una persona elegante y simpática con un atractivo personal irresistible. Aunque eran muy diferentes, se hicieron grandes amigos. Gracias a Lorca, Buñuel descubrió la poesía. Tras conocer a Dalí en 1922, los tres se convirtieron en compañeros inseparables[8]. En los años veinte, Madrid tenía una intensa vida cultural y los tres amigos leían revistas extranjeras y participaban en las tertulias[9] literarias de la ciudad. Dalí, Lorca y Buñuel tenían tres pasiones comunes: el jazz, los disfraces y las fiestas nocturnas. La famosa acuarela de Dalí *Sueños noctámbulos* (1922) refleja esas experiencias de las noches por Madrid.

En esta época Dalí trabaja duramente. Se fija[10] cada vez más en las vanguardias y pinta obras inspiradas en el cubismo, el fauvismo y el futurismo. En 1924 pinta el famoso *Retrato de Buñuel*, en el que abandona el estilo cubista para retratar a su mejor amigo de manera clásica. Entre Lorca y Dalí creció una profunda amistad basada en la admiración. El carácter tímido del pintor catalán se complementaba[11] con el carácter extrovertido[12] del poeta de Granada. Hablaban continuamente sobre pintura y poesía contemporánea y aprendían el uno del otro. Dalí invitó a Lorca en abril de 1925 a pasar una Semana Santa[13] con su familia en Cadaqués. Ese mismo año expulsaron[14] a Dalí de la Real Academia de San Fernando. Durante un examen frente a un tribunal, Dalí acusó a sus profesores de ser unos incompetentes[15] y se fue sin hacer el examen. Por eso lo expulsaron para siempre. Dalí confesó años después que quería huir[16] de la vida académica y de la vida nocturna de Madrid, quería trabajar un año en Figueras y convencer a su padre de que debía estudiar en París. Su amigo Luis Buñuel se había ido a vivir a París, se acercaba a los surrealistas y empezaba a dar sus primeros pasos en el cine. Buñuel tenía celos[17] de la amistad entre Dalí y Lorca. Para él, el poeta no era una buena influencia: creía que su sentido estético apartaba a Dalí de su propio camino artístico, el surrealismo.

En 1927 pasó el verano con Dalí en Cadaqués. Su amistad y su colaboración continuaron. Lorca estrenó[18] su famosa obra

---

GLOSARIO

[10] **fijarse (en algo):** poner la atención en algo [11] **complementarse:** formar buen equipo [12] **extrovertido:** persona sociable, que se comunica bien con los demás [13] **Semana Santa:** época del año en la que se recuerda la muerte de Jesucristo [14] **expulsar:** echar [15] **incompetente:** incapaz, inútil, que no hace bien su trabajo [16] **huir:** escaparse [17] **tener celos:** no poder soportar que la persona a la que queremos quiera también a otra [18] **estrenar:** mostrar por primera vez una obra de teatro o una película

de teatro *Mariana Pineda* y Dalí hizo el decorado[19] para ella. Sin embargo, poco a poco, sus caminos se separaron. Dalí se acercó al surrealismo, pero Lorca no comprendía en aquel momento ese movimiento artístico. La literatura de Lorca se inspiraba cada vez más en las tradiciones populares. Su amistad terminó cuando Dalí criticó duramente el *Romancero gitano*, el libro de poemas de Lorca sobre la cultura gitana. Los artistas se volvieron a encontrar años después, dos meses antes de la Guerra Civil española. El pintor dijo que su amistad seguía igual después de tantos años separados. Pocos meses después de este encuentro, Federico García Lorca murió asesinado.

GLOSARIO

[19] **decorado (en el teatro):** conjunto de elementos, como muebles y pinturas, que crean un ambiente determinado para simular un lugar y una época

3. Dalí en París: primer contacto con el movimiento surrealista

«Sabía que el camino del éxito[1] pasaba por París»

Dalí leyó las obras de Sigmund Freud, creador del psicoanálisis. Su libro *La interpretación de los sueños* fue el descubrimiento más importante en la vida del pintor. Desde entonces interpretaba[2] sus sueños y todo lo que le pasaba. Empezó a interesarse por el surrealismo, un movimiento artístico con gran influencia[3] de Freud y de su estudio sobre el subconsciente.

El 11 de abril de 1927, Dalí viajó con su familia a París. Allí los esperaba Luis Buñuel. Dalí visitó el museo del Louvre y pasó muchas horas observando los cuadros. Le impresionaban sobre todo Leonardo da Vinci, Rafael y Dominique Ingres. En la capital francesa también conoció a Picasso, y los dos pintores se hicieron buenos amigos. Dalí dijo que Picasso era muy generoso y fue el único que le prestó dinero años más tarde para viajar a América.

En París visitó la Galerie Surréaliste y descubrió la obra del catalán Joan Miró, artista surrealista. También allí descubrió el

---

GLOSARIO

[1] **éxito:** triunfo, reconocimiento de que se ha hecho bien algo importante, fama [2] **interpretar:** encontrar un significado [3] **influencia:** efecto que tiene sobre nosotros una persona a la que admiramos

cuadro *El anillo de la invisibilidad*[4], obra de uno de los padres del surrealismo, Yves Tanguy.

Influido por estas experiencias, volvió a Cadaqués y pintó, entre otras obras, *La miel es más dulce que la sangre* (1927). Este es un cuadro lleno de objetos extraños y parece una pesadilla: hay una mujer muerta sin cabeza, una cabeza con los ojos cerrados y el cadáver[5] de un burro lleno de moscas.

Un cuadro de Dalí en movimiento

El director Luis Buñuel escribió en sus memorias que la película *Un perro andaluz* (1929) nació de juntar dos sueños. Buñuel le contó a Dalí su sueño: una nube que atravesaba[6] la luna y una cuchilla de afeitar[7] cortando un ojo. Dalí le dijo que él soñó con una mano llena de hormigas y le propuso hacer juntos una película inspirada en esos sueños. Escribieron el guion[8] en menos de una semana y comprendieron que iba a ser una película extraña. Utilizaron la escritura automática, técnica que usaban los surrealistas y que consiste en unir palabras o imágenes que no tienen explicación racional. Buñuel hizo la película en París, y Dalí lo ayudó en algunas secuencias. El resultado final fue una película surrealista, muda[9], de diecisiete minutos, con música de Wagner y un tango. *Un perro andaluz* no sigue los esquemas narrativos[10] tradicionales, sus secuencias son desordenadas y provocativas. La película es una especie de sueño que refleja las obsesiones y las pesadillas de Dalí y de Buñuel. La imagen de la cuchilla que atraviesa el ojo de la mujer es una de las más impactantes[11] de la historia del cine.

GLOSARIO

[4] **invisibilidad:** cualidad de lo invisible, de lo que no se puede ver [5] **cadáver:** cuerpo de una persona o animal muerto [6] **atravesar:** pasar a través de algo [7] **cuchilla de afeitar:** hoja de acero afilada que usan los hombres para cortarse la barba [8] **guion:** texto que contiene el argumento, los diálogos y la información necesaria para realizar una película u obra de teatro [9] **película muda:** película en la que no se habla [10] **esquema narrativo:** manera habitual de contar una historia [11] **impactante:** que impresiona

La película se presentó en París y fueron a verla el grupo de artistas surrealistas, aristócratas, escritores y pintores famosos. El éxito fue inmediato. Dalí y Buñuel entraron así en el grupo de los surrealistas. La exhibición de *Un perro andaluz* provocó un gran escándalo, varias personas denunciaron[12] en comisaría[13] que era una película «obscena y cruel», e intentaron prohibirla, pero no lo consiguieron. Hoy está considerada como una obra maestra del cine.

GLOSARIO

[12] **denunciar:** informar a una autoridad o a la opinión pública de que algo se está haciendo mal o de que se está cometiendo un delito [13] **comisaría:** lugar en el que está la policía

Entrada y expulsión de Dalí en el grupo surrealista

Buñuel presentó a Dalí a los artistas surrealistas y este fue aceptado en el grupo. Los surrealistas creían en el valor de los sueños, practicaban la escritura automática y creían que la fantasía era esencial para liberar la mente. Querían transformar el mundo y cambiar la vida a través de lo irracional[1] y la intuición. Con sus obras luchaban contra las desigualdades, el materialismo, la religión y otros muchos aspectos de una sociedad que para ellos estaba enferma. Sus obras eran siempre un escándalo. A Dalí le encantaba provocar escándalos, y por ello se unió feliz al grupo y a su filosofía.

Su cuadro *Los primeros días de la primavera* (1929) inicia[2] una serie de obras surrealistas. Es un *collage* con figuras[3] extrañas. Según cuenta Dalí, es un delirio erótico que une sus recuerdos de la infancia[4] y sus obsesiones sexuales. A partir de esta obra, Salvador utiliza su imaginación sin ningún límite. Descubre la combinación entre los símbolos del psicoanalista Sigmund Freud y los suyos personales. Esa combinación lo lleva a uno de los períodos más productivos de su carrera. Su obra *El gran masturbador* (1929), otra importante obra de este período, es un autorretrato.

GLOSARIO
[1] **irracional**: que no es lógico ni razonable, que no es racional [2] **iniciar**: empezar
[3] **figura**: forma que representa a una persona, otro ser vivo o un objeto
[4] **infancia**: tiempo en el que se es niño, niñez

Sin embargo, varios años después expulsaron a Dalí del grupo surrealista. En 1934 su cuadro *El enigma de Guillermo Tell* enfadó al líder de los surrealistas, André Breton. Dalí explicó que Guillermo Tell simbolizaba a su padre y que él mismo se autorretrató en el niño que va a ser devorado[5] por su propio padre. Sin embargo, la cara de Guillermo Tell se parecía mucho a la del líder comunista Lenin. Los surrealistas compartían la ideología comunista, y el cuadro les pareció una ofensa. El pintor desafió[6] al grupo surrealista y expuso esta obra en una exposición en la que los artistas surrealistas decidieron no participar. Breton intentó romper el cuadro, pero no lo consiguió. Pensaba que Dalí era antirrevolucionario y convocó un «juicio surrealista» para expulsarlo. Poco después, aceptaron a Dalí otra vez en el grupo, pero André Breton declaró en 1939 en un artículo que su relación con Dalí estaba rota para siempre. Criticó la ambición de Dalí por el dinero y puso fin a su colaboración y su amistad. André Breton le cambió el nombre. Jugando con las letras de «Salvador Dalí» creó «Avida Dollars», que criticaba el deseo de Dalí de ser rico. En su defensa, el pintor dijo que su interés por el dinero era simbólico, que no sabía cuánto dinero tenía en el banco y que nunca llevaba dinero en efectivo[7].

GLOSARIO

[5] **devorar:** comer con ansia y ferocidad, como hacen los animales [6] **desafiar:** provocar un enfrentamiento o una pelea [7] **dinero en efectivo:** dinero en billetes y monedas, no en cheques o tarjetas de crédito

Casa de Dalí y Gala en Portlligat / Laura Corpa

4. Gala y Dalí, una historia de amor

«Sin el amor, sin Gala, yo nunca sería Dalí»

La vida de Salvador Dalí cambió para siempre el verano de 1929. Invitó a Cadaqués al pintor René Magritte y a su esposa, al galerista[1] Goemans y a su compañera, a Luis Buñuel y al poeta surrealista Paul Éluard con su mujer, Gala, y la hija de ambos, Cécile. Gala en realidad se llamaba Elena Ivanovna Diakonova, era rusa, muy inteligente, muy atractiva, y una de las musas de los artistas surrealistas. Le gustaba mucho la literatura y era una gran lectora. Su matrimonio con el poeta Paul Éluard estaba basado en una relación abierta: ambos podían tener amantes sin romper su compromiso[2]. Formó un triángulo amoroso con su marido y el artista surrealista Max Ernst, que la dibujó en muchas ocasiones. Dalí se enamoró de ella nada más verla. Él tenía veinticinco años y ella, treinta y cinco. Gala era una mujer liberada, sin prejuicios, y ayudó a Dalí a superar su timidez. No tenía prejuicios[3] y le enseñó a superar[4] su pánico por las relaciones sexuales. Su historia de amor rompió la amistad de Salvador con

GLOSARIO

[1] **galerista:** persona que tiene una galería de arte en la que se exponen y venden obras de arte [2] **compromiso (entre dos personas):** acuerdo de estar unidas [3] **prejuicio:** idea que se tiene de algo antes de conocerlo, normalmente negativa [4] **superar:** conseguir solucionar un problema

Luis Buñuel porque el director de cine pensaba que Gala anulaba[5] a Dalí. La relación amorosa con una mujer casada, mayor que él y madre de una hija enfadó a su familia. Su padre desheredó[6] a Dalí. Pero a ellos no les importó. El artista dijo siempre que Gala lo liberó de sus síntomas de histeria y le devolvió la salud. Se casaron por lo civil[7] en 1934 y por la Iglesia en 1958. Desde 1929 y hasta su muerte, en 1982, Gala fue la protagonista de numerosos cuadros de Dalí. Posó[8] vestida y desnuda, y Dalí la retrató a lo largo de toda su vida. Gala tuvo otros amantes, pero nunca se separó de Dalí. Fue su protectora, su esposa, su traductora…, lo cuidó como una madre y lo comprendió en todas sus locuras. En los años treinta Dalí firma sus cuadros como Gala-Salvador Dalí. Ella quería la fama y la riqueza, y confiaba en que Dalí iba a ser un gran genio mundial. Después de vivir juntos cincuenta años, Gala murió, y Dalí no quiso sobrevivir al gran amor de su vida.

GLOSARIO

[5] **anular (una persona a otra):** hacer que la otra persona no tenga ninguna importancia porque se domina y se atrae toda la atención de los demás [6] **desheredar:** (a un hijo) quitarle el derecho a recibir lo que los padres tienen cuando estos mueren, quitar la herencia

[7] **casarse por lo civil:** casarse ante un juez o su representante, no por la iglesia ante un cura

[8] **posar:** ponerse delante de un pintor para que nos pinte en un cuadro

Gala, la musa del surrealismo

Gala es la musa absoluta de Dalí. Desde 1929 su cara, su figura o su sombra aparecen en las obras más importantes del pintor. En el cuadro *El enigma de Guillermo Tell*, Gala aparece como una niña muy pequeña. En este cuadro Dalí presentó a su mujer debajo del pie de su padre, que quería aplastarla[1] porque la odiaba[2]. El *Retrato de Gala con dos costillas*[3] *en equilibrio*[4] *sobre su hombro* (1933) se hizo muy famoso en Nueva York. Dalí y Gala llegaron por primera vez a Nueva York en 1934. Cuando Dalí dijo a los periodistas que su cuadro favorito era el de su mujer posando con costillas de cordero, todos los periódicos empezaron a hablar de él.

Galarina (1945) es uno de los mejores retratos de Gala. Dalí la pintó de forma realista, y Gala mira de frente[5], tranquila, misteriosa; lleva la camisa abierta y enseña un pecho[6]. También Gala es la diosa metafísica de Dalí en *Leda atómica* (1949), y en todos los cuadros posteriores de inspiración religiosa aparece como la Virgen y la madre. Una de las mejores obras de la última etapa de Dalí es *Dalí de espaldas*[7] *pintando a*

GLOSARIO

[1] **aplastar:** deformar, romper o deshacer haciendo presión sobre algo
[2] **odiar:** detestar, desearle mal a alguien [3] **costillas:** huesos largos, separados unos de otros, que protegen el corazón y los pulmones [4] **(estar) en equilibrio:** (aquí) balancearse [5] **de frente:** posición en la que enseñamos la cara y la parte de delante de nuestro cuerpo [6] **pecho:** mama, seno de la mujer
[7] **de espaldas:** posición contraria a «de frente»; se enseña la espalda y la parte de atrás del cuerpo

Gala de espaldas (1972-1973). En el cuadro aparecen los dos juntos, ya mayores, reflejados en unos espejos. Aquí el pintor hace un homenaje[8] a uno de sus artistas más admirados, Velázquez, y su obra *Las meninas*. Los rostros del matrimonio aparecen borrosos[9] por el juego visual de los espejos y el color apagado de la pintura. De esta manera, su mujer y él no parecen tan viejos.

Gala / Joan Vehí

GLOSARIO

[8] **hacer un homenaje:** hacer algo para recordar a alguien a quien admiramos mucho [9] **borroso:** que no se ve bien, que no está claro

5. El éxito internacional

«La única diferencia entre un loco y yo es que yo no estoy loco»

Dalí comienza a tener fama internacional. Expone once obras en París en la galería Goemans y consigue un gran éxito de ventas. Sus obras escandalizan al público por su contenido, surrealista y violento. En su obra *El sagrado corazón* escribe la frase «a veces escupo[1], para divertirme, sobre el retrato de mi madre». De esta manera, el artista niega[2] dos valores[3] fundamentales de la sociedad de la época: la familia y la religión. Su padre lo expulsa para siempre de casa por insultar[4] la memoria de su madre muerta. Le grita que terminará en la miseria, sin amigos y sin dinero. Dalí y Gala alquilan la cabaña de un pescador en Portlligat (Cadaqués) para vivir, y Dalí trabaja sin descanso.

En 1931 pinta una de sus obras más famosas, *La persistencia[5] de la memoria*, más conocida como «los relojes blandos». En ella Dalí utiliza su método paranoico-crítico y pinta sus sueños, sus visiones y todo lo irracional de su subconsciente. Piensa que la gente debe disfrutar[6] con sus propias sensaciones subconscientes al mirar sus obras.

GLOSARIO

[1] **escupir:** echar con fuerza saliva por la boca [2] **negar:** decir que no, oponerse
[3] **valor (moral):** una idea compartida por toda una sociedad de lo que está bien y lo que está mal, y de lo que es esencialmente importante [4] **insultar:** decirle a otro cosas feas y ofensivas
[5] **persistencia:** duración en el tiempo [6] **disfrutar:** sentir placer

Dalí y Gala llegan a Nueva York en 1934. El marchante de arte Julien Levy consigue exponer veintidós obras de Dalí. Entre ellas se encuentra *La persistencia de la memoria*. Esta obra tiene un gran éxito entre el público y la crítica. Los relojes blandos que aparecen en el cuadro se convierten en el icono más popular del surrealismo en América. Hasta entonces, este movimiento artístico era poco conocido allí. Dalí participa en exposiciones, escribe artículos de prensa y da conferencias.

Antes de marcharse de Nueva York, se organiza un gran baile en honor de Gala y Dalí, el «Bal Onirique». Cada invitado va disfrazado de su sueño más repetido. Los invitados de la alta sociedad de Nueva York van disfrazados de sueños extraños y todos quieren impresionar a Dalí. El matrimonio está muy satisfecho[7]. Antes de marcharse, Dalí vende diez cuadros, uno de ellos al Museo de Arte Moderno de Nueva York. La pareja gana mucho dinero y su fama crece cada vez más.

La Guerra Civil española y el exilio de Dalí

Dalí regresa de Nueva York y ocurre algo muy importante: se reencuentra con su padre en Figueras después de seis años sin hablarse. El padre grita, regaña[8] al hijo con violencia. El hijo llora. Al final los dos se abrazan fuertemente y lloran juntos. Se reconcilian[9]. El padre lo incluye de nuevo en su testamento[10] y Salvador vuelve a estar con su familia. Gala y él viven en Portlligat y deciden construir[11] una casa. Dalí pinta muchos cuadros surrealistas. Además de figuras extrañas, aparecen en sus obras las playas, los cipreses, las barcas del pueblo de Cadaqués y las rocas

[7] **estar satisfecho:** estar contento por sentir que se ha hecho algo bien [8] **regañar:** enfadarse mucho con alguien porque ha hecho algo mal, y decirle muchas cosas ofensivas
[9] **reconciliarse:** perdonarse y volver a ser amigos después de un tiempo de enfado
[10] **testamento:** documento en el que se dice quien tendrá nuestras cosas después de nuestra muerte [11] **construir:** hacer una casa o un edificio

del cabo de Creus. Estas rocas tienen un tamaño impresionante   33
y unas formas muy originales, y Dalí las pintará toda su vida. De
niño jugó sobre ellas y aparecen en muchos de sus cuadros.

En 1936 participa en la Exposición Surrealista Internacional
en Londres con tres cuadros surrealistas y una serie de estudios a
lápiz. En Londres también expone en solitario, tiene un gran éxito
y gana muchísimo dinero con la venta de sus cuadros.
La Guerra Civil española comienza en el año 1936. Seis meses
antes Dalí pinta uno de sus cuadros más famosos. Es una obra
surrealista, simbólica y muy agresiva: *Construcción blanda con ju-
días hervidas*[12]. *Premonición de la Guerra Civil* (1936). El artista
dice que es una pintura de guerra. El elemento central es un enorme cuerpo humano deformado[13]. Dalí simboliza con esta metáfora
la lucha entre los dos grupos de españoles durante la guerra.
Dalí se declara apolítico[14], siente horror por cualquier revolución
y huye con Gala de España. Viven en Francia, Italia y Estados
Unidos. Finalmente regresan a España en 1948.

GLOSARIO
[12] **hervir:** cocer, calentar mucho un líquido hasta que llega a su punto de ebullición
[13] **deformar:** cambiar algo de su forma natural [14] **apolítico:** que no es de ningún partido
político y no le interesa la política

Dalí conoce a Freud

Edward James era un millonario escocés, poeta y artista surrealista. Conoció a Dalí y se convirtió en su mecenas[1]. Colaboró con él y le adelantó dinero para sus obras. James organizó un encuentro entre el psicoanalista Sigmund Freud y Dalí en Londres el 19 de julio de 1938. Las teorías del psicoanalista Sigmund Freud cambiaron la vida y la forma de pintar de Salvador. Para él fue muy importante conocer a su ídolo. Sin embargo, Freud pensaba que todos los surrealistas eran unos locos y unos tontos, y pensaba que sus estudios sobre el subconsciente no tenían nada que ver con el surrealismo. Pero conoció al «joven español con sus cándidos[2] ojos de fanático y su maestría[3] técnica» y cambió de opinión. Creyó que sería muy interesante analizar el origen de alguno de los cuadros surrealistas de Dalí, aunque le pareció un fanático con grandes problemas psicológicos. Para el pintor, conocer a Freud fue una de las experiencias más importantes de su vida. Durante su visita, Dalí dibujó el *Retrato de Freud*; pero Freud murió un año después y nunca vio su retrato.

GLOSARIO
[1] **mecenas:** persona con mucho dinero que ayuda económicamente a los artistas [2] **cándido:** ingenuo, infantil, sin maldad [3] **maestría:** conocimiento y habilidad para hacer algo

pista 11

6. Una estrella en Nueva York: el éxito americano de Dalí

Dalí trabajó para Alfred Hitchcock y Walt Disney

En marzo de 1939 unos grandes almacenes[1] de la Quinta Avenida de Nueva York encargaron a Dalí el diseño de sus escaparates[2]. Dalí construyó muchos objetos surrealistas, entre ellos, una bañera llena de agua y flores. También diseñó dos maniquíes[3]. Pero los grandes almacenes decidieron quitar uno de los maniquíes y Dalí se enfadó mucho. El pintor entró en el escaparate y empujó la bañera. La bañera y Dalí atravesaron el cristal del escaparate y cayeron entre la gente que estaba allí. La policía lo detuvo y lo juzgaron, aunque después el juez lo dejó en libertad. Este hecho le dio al artista una gran publicidad en Nueva York.

En 1940 les dice a los periodistas americanos que el surrealismo ha muerto y que él vuelve al clasicismo. En 1942 Dalí escribe su autobiografía, *Vida secreta de Salvador Dalí*. Inventa datos,

GLOSARIO
[1] **grandes almacenes:** tienda enorme, que ocupa un edificio con varios pisos y que tiene diferentes secciones para vender toda clase de productos [2] **escaparate:** parte de la tienda que se ve desde la calle y está separada de esta por un gran cristal; ahí se exponen productos, como ropa, para que la gente los vea [3] **maniquí:** muñeco del tamaño de una persona que se viste con la ropa que se vende

exagera[4] recuerdos, habla de Gala como musa, descubre su lugar favorito (Cadaqués) y dice que quiere ser católico otra vez. Dalí es un gran escritor, divertido e inteligente, y buen narrador[5]. El texto está ilustrado[6] con cientos de dibujos, fotografías y reproducciones que explican muy bien lo que cuenta. Publica la biografía en 1942 y el libro tiene un enorme éxito en Estados Unidos.

Dalí gana mucho dinero con la venta de sus cuadros y se hace muy famoso haciendo retratos de personas ricas de Nueva York, como la millonaria Helena Rubinstein. También diseña ilustraciones para obras literarias, como las que hizo para una edición del *Quijote*.

En 1945 conoce al director Alfred Hitchcock y diseña los decorados para la película *Spellbound*. El director le paga cuatro mil dólares por hacer los decorados de los sueños extraños del protagonista. En esta película aparecen sus famosos relojes blandos.

GLOSARIO
[4] **exagerar:** aumentar muchísimo las características de algo [5] **narrador:** el que cuenta una historia [6] **ilustrar:** hacer dibujos para acompañar un texto

Dalí publicista

Dalí tiene gran éxito como publicista en EE. UU. A los estadounidenses les encanta su estilo surrealista inspirado en los sueños. Le encargan campañas de publicidad[1] de perfumes, de corbatas, de televisores... Dalí es el artista español más famoso en Estados Unidos. Él sabe usar su propia imagen como marca[2] y le interesa mucho la relación entre la moda y la publicidad. Trabaja con el fotógrafo Philippe Halsman, diseña decorados para el Ballet Internacional de Nueva York, diseña muebles y joyas, decora el apartamento de la millonaria Helena Rubinstein, colabora con revistas norteamericanas, como *Vogue*, *Harper's Bazar*, crea el nuevo logo de Chupa Chups...

A lo largo de su vida participó en diferentes anuncios[3] publicitarios para marcas como Alka Seltzer, Brandy Veterano, Chocolates Lavin y Aerolíneas Branniff. Gracias a este trabajo ganó mucho dinero. Explotó[4] su imagen extravagante con sus largos bigotes y se convirtió en un personaje publicitario. Ser famoso le sirvió para dar a conocer mejor su obra. Además, se divirtió mucho con estos trabajos.

GLOSARIO

[1] **campaña de publicidad:** conjunto de acciones para dar a conocer una marca comercial [2] **marca:** nombre comercial de un fabricante de productos [3] **anuncio:** publicidad para dar a conocer una marca [4] **explotar:** sacar provecho de algo

Dalí durante una fiesta privada en Cadaqués / Joan Vehí

7. La vuelta a España: retorno al clasicismo

«*Si no se cree en nada, no se pinta nada o casi nada*»

D alí y Gala regresan a España. Llegan al pueblo del pintor, Figueras, en un Cadillac gigante. Aparcan el coche en la puerta del padre de Dalí. Este gesto es un símbolo del hijo que vuelve a casa victorioso[1]. El padre de Salvador está feliz con la vuelta de su hijo y con su éxito.

Dalí empieza una nueva etapa artística que llama el *período místico-nuclear*. En 1951 publica *El manifiesto místico*. El pintor explica los nuevos principios[2] de su pintura, que están entre la mística nuclear y el clasicismo. Quiere pintar como Rafael y volver al Renacimiento. Dalí dibuja con un gran control técnico y en sus obras mezcla elementos de la ciencia y de la religión. Salvador fue ateo en su juventud y ahora es católico.

Al pintor le impresionan la bomba de Hiroshima, la física nuclear y los avances de la ciencia. Dice que el átomo es su objeto de reflexión favorito. Relaciona los descubrimientos[3] de la física nuclear con el misticismo religioso y pinta con estilo clasicista.

En 1950 murió su padre, don Salvador, y Dalí sufrió mucho. Fue el hombre que más le obsesionó en su vida y su relación con él

---

GLOSARIO

[1] **victorioso:** ganador, que ha triunfado [2] **principio:** (aquí) ideas fundamentales en las que se apoya una ideología, una filosofía o una práctica artística [3] **descubrimiento:** el producto de una búsqueda, aquello que se descubre, que se ve o encuentra por primera vez

40

fue apasionada. Sus personalidades tan diferentes fueron un gran problema. Don Salvador expulsó a Dalí de la familia, pero al final de su vida estuvieron muy unidos.

Es importante recordar que vivía de nuevo en España, y allí gobernaba una dictadura militar[4] de ideología católica. Muchas personas acusaron[5] a Dalí de cambiar de estilo por interés y por simpatía a la dictadura; pero la conversión de Dalí al catolicismo parece que fue verdadera. Logró tener un encuentro con el papa Pío XII y le regaló una versión de su cuadro *La Madonna de Portlligat*, su primer cuadro religioso. La personalidad del artista y sus acciones provocaron siempre escándalos. El pintor dio una conferencia[6] en 1951. En ella elogió[7] al dictador español Francisco Franco y dijo que el Caudillo había devuelto la verdad y el orden a España en uno de los momentos «más anárquicos del mundo». A Franco le gustó escucharlo, pero mucha gente acusó a Dalí de fascista y de traidor[8] a su anterior ideología.

GLOSARIO

[4] **dictadura militar:** Gobierno militar autoritario que se impone con violencia [5] **acusar:** decir públicamente que alguien tiene una mala conducta o ha hecho una mala acción [6] **dar una conferencia:** hablar ante mucha gente sobre un tema que se conoce muy bien [7] **elogiar:** hablar muy bien de alguien o de algo [8] **traidor:** persona que actúa o se expresa de manera contraria a su ideología anterior o que actúa perjudicando a sus anteriores amigos, normalmente por interés personal

pista 14

Ejemplos de la nueva etapa atómica

El cuadro de Dalí *Leda atómica* (1949) es una síntesis[1] perfecta de su nuevo estilo. Une el clasicismo con la mística y su interés por la ciencia, la física y las matemáticas. Gala está en el centro del cuadro y posa como Leda en una escena de la mitología griega: el dios de los dioses, Zeus, se enamora de Leda, una mortal, y se convierte en cisne[2] para ser más atractivo. En el cuadro, Gala es Leda, está desnuda y se eleva mirando a Zeus convertido en cisne. Al mismo tiempo, Leda es la Virgen María y el cisne es el Espíritu Santo. El pintor juega con esas dos interpretaciones. Otras obras importantes de este período artístico son *La Madonna de Portlligat* (1950) y *Cristo de San Juan de la Cruz* (1951). Ambas obras son muy bellas; Dalí pinta con un estilo clásico y dibuja símbolos religiosos, místicos y científicos. *Cruz nuclear* (1952) es otro ejemplo. La obra *Santiago el Grande* (1957) es una pintura excelente. En la esquina inferior derecha está Gala de pie, y representa a la Virgen María. Mira a un Cristo que está sobre una cruz formada por cubos y suspendida[3] en el aire. Hay un paisaje rocoso de fondo[4] que aparece en muchísimos cuadros de Dalí: el paisaje rocoso del cabo de Creus.

GLOSARIO

[1] **síntesis:** suma o unión de varias partes, resumen [2] **cisne:** ave grande, muy bella, de color blanco y cuello muy largo que vive en los lagos [3] **suspendido:** detenido o flotando en el aire [4] **de fondo:** que está en la parte de atrás

Salvador Dalí fotografiado por Joan Vehí

8. Los años sesenta

«Esta sociedad juega a ser seria para ocultar su locura»

En 1958 el pintor se casa por la Iglesia con Gala. Dalí y Gala viven la primavera, el verano y el otoño en Portlligat y se marchan a París y Nueva York en invierno. También viajan a Barcelona, Madrid e Italia. Esa será su costumbre durante sus últimos treinta años. Dalí trabaja muchísimas horas en su casa de Portlligat. Pinta cuadros y además diseña con gran éxito los decorados de varias obras de teatro, como *Don Juan Tenorio* en Madrid y *Salomé* en Londres. También diseña decorados para la película *Como gustéis*, del famoso director italiano Luchino Visconti.

Ha cambiado su manera de pintar. Ahora su estilo es hiperrealista, sus cuadros son de temática religiosa y está muy interesado en la molécula del ADN, y por eso la pinta en sus obras. Sigue dando conferencias para explicar su forma de pintar. En 1955 da una conferencia en París sobre su método *paranoico crítico*.

Sus obras se venden por muchísimo dinero y se hace muy rico. Robert Descharnes, el último secretario del pintor, publica en 1962 *Dalí de Gala*. Es la primera obra editada de lujo sobre el pintor español. En 1964, Dalí publica *Diario de un genio*, un libro en el que cuenta anécdotas[1] sobre cómo trabaja en su casa

---

GLOSARIO
[1] **anécdota:** relato breve sobre un episodio de la vida de una persona

de Portlligat. Habla de su pasión por la pintura, de su manera de pintar y de su amor por su esposa.

En aquella época Gala tenía sesenta y ocho años y estaba obsesionada con no envejecer[2]. Luchó contra ello con operaciones estéticas[3] y gastó mucho dinero en amantes jóvenes. Pero a Dalí no le importaba.

Gala quería tener un castillo para vivir ella sola. En el pueblo de Púbol (Gerona) había una gran casa medieval en ruinas[4]. El pintor y su esposa la compraron por cien mil dólares y la convirtieron en un precioso castillo. Dalí pintó el techo de la gran sala y diseñó el jardín. El castillo de Púbol fue la mansión de Gala durante diez años, y Dalí solo podía entrar si Gala le enviaba una invitación. Gala vivía allí con sus jóvenes amantes, como Jean-Claude du Barry, con el consentimiento[5] de Dalí. Gala gastó muchísimo dinero para complacer[6] a Jean-Claude, le compró una casa en Long Island, le dio mucho dinero en efectivo y le regaló varios cuadros de Dalí. Este se enfadó mucho al enterarse. Esa relación, entre otras cosas, causó el principio de la decadencia[7] de Dalí en los años setenta y ochenta.

GLOSARIO

[2] **envejecer:** hacerse viejo [3] **operación estética:** operación quirúrgica para hacer parecer a alguien más joven o más guapo [4] **en ruinas:** destrozado, derrumbado [5] **consentimiento:** aprobación [6] **complacer:** dar gusto, agradar [7] **decadencia:** período de tiempo en el que las cosas empiezan a ir mal después de una época de bienestar

Muchacha sentada vista de espaldas, 1925 / Liliana Fernández

Su hermana Anna Maria

Anna Maria Dalí (1908-1989) era cuatro años menor que Salvador Dalí y su única hermana. Durante su infancia y adolescencia Anna Maria comprendió el mundo de su hermano y compartió sus juegos; fue amiga del poeta Federico García Lorca y fue la primera modelo del pintor. Era una mujer morena, bella, inteligente y divertida. Anna Maria posó en muchas ocasiones para su hermano en los primeros años de la carrera del pintor. Ella es la mujer de espaldas que mira al mar en el famoso cuadro *Figura en una ventana* (1925), y la *Muchacha sentada vista de espaldas* (1925). Dalí pintó muchos retratos suyos durante los años veinte. Anna Maria posaba de espaldas o de perfil[1], como en el cuadro *Retrato de la hermana del artista* (1925), pero también posaba de frente, como en *Retrato de Anna Maria* (1924) y en *Retrato de una muchacha en un paisaje de Cadaqués* (1926).

Pero en 1949 ocurrió algo que acabó con la relación de los hermanos para siempre. Anna Maria escribió un libro, *Salvador Dalí visto por su hermana*, y su contenido enfadó mucho al pintor. En el libro, su hermana contaba recuerdos de su infancia y su adolescencia, y describía a Dalí en esos primeros años como alguien cordial[2],

---

GLOSARIO
[1] **de perfil:** de lado [2] **cordial:** amable

bueno y con un gran sentido del humor. Pero en el libro hablaba también de cómo la «mala» influencia del surrealismo y de Gala destruyeron[3] a su familia. Gala y Anna Maria se odiaban. Por eso, Dalí, muy influido[4] por su mujer, nunca perdonó a su hermana por haber escrito este libro. Salvador la desheredó y le prohibió ir a su entierro[5].

Cadaqués

GLOSARIO

[3] **destruir:** romper [4] **influir (sobre otra persona):** tener influencia sobre otra persona [5] **entierro:** acto social o religioso en el que se introduce el cuerpo sin vida de una persona en una tumba y se cubre de tierra

Salvador Dalí con alpargatas, las zapatillas típicas de Cataluña / Joan Vehí

9. Los últimos años de Dalí

> «De todos los pintores contemporáneos soy el más capaz de hacer lo que quiere en su arte»

Dalí explora[1] nuevas técnicas en sus obras, como la holografía o la estereoscopía. Un ejemplo es el cuadro *Dalí de espaldas pintando a Gala de espaldas* (1972-1973) o *A la búsqueda de la cuarta dimensión* (1979). También le interesan mucho las teorías matemáticas de René Thorm. El universo pictórico de Dalí se hace más grande, y un ejemplo de este estilo es la obra *Cola de golondrina*[2] *y violonchelos* (1983), es su última obra.

Desde los años sesenta, Dalí tiene una nueva obsesión: quiere construir un gran museo para mostrar su obra al mundo. El Teatro Museo de Figueras es el lugar elegido para ello. Dalí decía que su única ambición era revivir su adolescencia en Figueras y Cadaqués en el Teatro Museo. Pensó continuamente en su museo y le dio uno de sus cuadros más queridos, *La cesta*[3] *de pan*. El museo se abrió en 1970.

La decadencia física y mental de Dalí empieza en los años setenta. En esta época tomaba muchos medicamentos y antidepresivos para combatir sus dolores, reales e imaginarios[4].

GLOSARIO

[1] **explorar:** buscar con interés nuevas cosas [2] **golondrina:** pájaro pequeño de color negro que llega a Europa todas las primaveras y emigra en invierno [3] **cesta:** recipiente pequeño tejido con mimbre u otro material [4] **imaginario:** que no es real, que solo está en la mente de una persona

El Centro Georges Pompidou, en París, organizó en 1979 la mayor exposición de Dalí hasta el momento. Tuvo un gran éxito y la exposición viajó después a la Tate Gallery de Londres. Al año siguiente Gala y Dalí enfermaron con una fuerte gripe[5]. Su salud era cada vez peor.

Las manos de Dalí empezaron a temblar[6] y, por eso, no podía ya pintar. En esa época estuvo varias veces en el hospital. Él y Gala discutían con frecuencia, asustados por la enfermedad y la muerte. Gala murió en junio de 1982. Su hija, Cécile Éluard, quiso visitarla antes, pero su madre no quiso verla. Se enterró a Gala en su castillo de Púbol, pero Dalí no fue a la ceremonia. Ocupó el dormitorio de Gala, se negó a comer y nunca volvió a su casa de Portlligat. Hizo un nuevo testamento y convirtió al Estado español en heredero[7] universal de todos sus bienes y obras artísticas. Dalí pidió ser enterrado en su Museo Teatro de Figueras.

El pintor ingresó[8] muy enfermo en la Clínica Quirón de Barcelona en diciembre de 1988. Cámaras de televisión de medios nacionales e internacionales rodeaban la clínica. Lo visitó el rey de España, don Juan Carlos I, al que Dalí admiraba mucho. Salvador le regaló dos libros suyos de poemas. El pintor murió el 23 de enero de 1989. Su capilla ardiente[9] se instaló en el Museo Teatro de Figueras. Todos los medios de comunicación estuvieron allí, y más de quince mil personas visitaron a Dalí para darle su último adiós. El pintor estaba vestido con una túnica beige y con una corona de oro. No quiso flores en su entierro. Su muerte, organizada por él mismo, como casi todo en su vida, fue el gran último espectáculo de un artista que sabía desde muy pequeño que era un genio y que el mundo entero lo admiraría.

GLOSARIO

[5] **gripe:** enfermedad que produce un virus, produce mucha fiebre y malestar general
[6] **temblar:** tiritar [7] **heredero:** persona que recibe nuestros bienes cuando morimos [8] **ingresar:** (aquí) entrar en un hospital para recibir tratamiento médico [9] **capilla ardiente:** lugar en el que se coloca a la persona muerta para que todo el mundo pueda despedirse

El Teatro Museo Salvador Dalí

El edificio del teatro de la ciudad de Figueras se construyó en 1848, pero se incendió[1] en 1939 durante la Guerra Civil española. Solo quedó la estructura de fuera. El alcalde[2] de Figueras, Ramón Guardiola, le propuso[3] a Dalí construir allí un museo para exponer toda su obra. Al artista le encantó esta idea por tres razones: él había pintado muchos decorados para los teatros, estaba enfrente de la iglesia donde se bautizó[4] y en ese mismo teatro había expuesto su primera obra. Durante los últimos años, de su vida Salvador Dalí diseñó todos los detalles. Para él, el Museo Teatro era el lugar perfecto donde el público podía comprender su obra de verdad y su mundo interior.

Dalí hizo una preciosa cúpula transparente[5] que hoy es el símbolo del museo. El museo se terminó de construir en 1974 y abrió sus puertas al público el 27 de septiembre. La ciudad de Figueras se llenó de gente, cámaras de televisión, músicos, bailarines, artistas…, y hasta un elefante. Dalí y Gala entraron juntos delante de mil invitados.

GLOSARIO

[1] **incendiarse:** quemarse [2] **alcalde:** persona que gobierna en un pueblo o ciudad y representa a sus habitantes [3] **proponer:** sugerir [4] **bautizar:** ceremonia religiosa que consiste en echar agua sobre la cabeza para simbolizar que se ha empezado a formar parte de la Iglesia [5] **cúpula transparente:** tejado de un edificio en forma de esfera que es transparente; es decir, que deja pasar la luz completamente

En el Teatro Museo pueden verse sus primeras obras, su pintura surrealista, sus cuadros de los últimos años… Algunos de los más importantes son *Port Alguer* (1924), *Muchacha de Figueres* (1926), *El espectro del sex-appeal* (1932), *Autorretrato blando con beicon frito* (1941), *Poesía de América - Los atletas cósmicos* (1943), *Galarina* (1944-1945), *La cesta de pan* (1945), *La nariz de Napoleón transformada en una mujer encinta*[6] (1945), *Leda atómica* (1949), *Galatea de las esferas* (1952) y *La apoteosis del dólar* (1965).

Salvador Dalí dejó su personalidad en todo el Museo Teatro. Creó para el edificio la Sala Mae West, la Sala Palacio del Viento, el monumento a Francesc Pujols y el Cadillac lluvioso. En el museo hay pinturas, dibujos, esculturas, grabados[7], hologramas, fotografías, muebles, joyas y todo tipo de curiosidades. En los últimos momentos de su vida, vivió en una habitación del edificio, en la Torre Galatea. Dalí murió en 1989 y fue enterrado en el centro del museo. Así se cerró el círculo de su vida. Regresó a la ciudad donde nació y murió allí. Estaba muy orgulloso de haber creado el mejor lugar para disfrutar y comprender su obra. Este lugar es el segundo museo español que más visitantes recibe, después del Museo del Prado de Madrid.

GLOSARIO

[6] **mujer encinta:** mujer embarazada, que va a tener un bebé [7] **grabado:** imagen que se realiza con unas láminas de madera, piedra o metal

Notas culturales

Introducción

Relojes blandos: Así se conoce un famoso cuadro de Dalí, de estilo surrealista y pintado en 1931, que lleva por título *La persistencia de la memoria*. Este cuadro se encuentra actualmente en el MOMA de Nueva York.

1. El pequeño rey Dalí

Puntillismo: Estilo de la pintura que consiste en hacer un cuadro utilizando puntos de colores. Comienza en 1880 y el pintor que inicia esta técnica es el francés Georges Seurat.
Cubismo: Movimiento de la pintura que se da entre 1907 y 1914. Consiste en descomponer la realidad en figuras geométricas. El pintor que inicia esta corriente y también el más importante es Pablo Picasso. Otros pintores famosos en este estilo son el francés Georges Braque y el español Juan Gris.
Naturaleza muerta: Se llama así a los cuadros que muestran objetos de la vida diaria y objetos de la naturaleza que se encuentran en las casas. Los más habituales son los que retratan las cocinas con los alimentos y los objetos que se encuentran allí. También se llaman bodegones.

2. Un extravagante en la Academia de Bellas Artes de Madrid

Real Academia de Bellas Artes de San Fernando: Institución universitaria en la que se realizan estudios de pintura y escultura en España.
Residencia de Estudiantes: Lugar de Madrid en el que se alojaban los estudiantes. Fue muy famosa entre los años 1920 y 1930 porque en ella había una vida cultural muy importante.
Museo del Prado: Es el museo de pintura clásica más importante de Madrid y de España. Es uno de los mejores del mundo porque en él están muchas de las obras más importantes de la pintura de los siglos XVI y XVII.

Velázquez (1599-1660): Diego Rodríguez de Silva y Velázquez fue un pintor barroco. Está considerado como uno de los mejores pintores de la historia de España y un maestro de la pintura universal.

Juan Gris (1887-1927): Pintor español considerado uno de los maestros del cubismo.

Luis Buñuel (1900-1983): Director de cine español que trabajó, sobre todo, en México y en Francia. Es uno de los cineastas más reconocidos de la historia del cine.

Federico García Lorca (1898-1936): Es el poeta y dramaturgo más popular de la literatura española del siglo XX. Formó parte de la Generación del 27. Murió fusilado en 1936.

Fauvismo: Movimiento de la pintura que se da entre 1904 y 1908 y que se caracteriza por la utilización exagerada y provocativa del color. El iniciador de este movimiento fue Henri Matisse.

Futurismo: Movimiento continuador del cubismo. Resalta la importancia de la velocidad, la tecnología y el progreso.

Guerra Civil española: Conflicto armado que tuvo lugar en España entre los años 1936 y 1939. El general Francisco Franco se rebela contra el Gobierno legítimo de la República española. Empieza así una guerra que durará tres años y terminará con la derrota de la República y la victoria de los militares, que imponen en España una dictadura que llegará hasta el año 1978.

4. Gala y Dalí, una historia de amor

Paul Éluard (1895-1952): Poeta francés y uno de los representantes del dadaísmo y el surrealismo. Su verdadero nombre era Eugène Grindel.

Las meninas: Cuadro más famoso de Velázquez, uno de los principales representantes de la pintura barroca española. En este cuadro aparecen las niñas de la familia de Felipe IV y la imagen del pintor retratado mientras pinta el cuadro. Es como ver la escena reflejada en un espejo.

7. La vuelta a España: retorno al clasicismo

Caudillo: Así se llamaba a sí mismo y hacía que lo llamasen los demás el general Franco.

Glosario

ESPAÑOL	INGLÉS	FRANCÉS	ALEMÁN

Introducción

ESPAÑOL	INGLÉS	FRANCÉS	ALEMÁN
[1] **publicista**	publicist	publiciste	Werbefachmann
[2] **extravagancia**	extravagance	extravagance	Extravaganz
[3] **personaje**	character	personnage	Persönlichkeit
[4] **bigote**	mustache	moustache	Schnurrbart
[5] **obra de arte**	artwork	œuvre d'art	Kunstwerk
[6] **pesadilla**	nightmare	cauchemar	Albtraum

1. El pequeño rey Dalí

ESPAÑOL	INGLÉS	FRANCÉS	ALEMÁN
[1] **mimar**	to spoil	gâter	verwöhnen
[2] **capricho**	whim	caprice	Laune
[3] **tímido**	shy	timide	schüchtern
[4] **impedir**	to prevent	empêcher	verhindern
[5] **disfrazarse**	to dress up or disguise oneself	se déguiser	sich verkleiden
[6] **manto**	cloak	grande cape	Umhang
[7] **corona**	crown	couronne	Krone
[8] **figurita de cera**	wax figure	figurine de cire	Wachsfigur
[9] **proyector de cine**	movie projector	projecteur	Filmprojektor
[10] **dote**	gift	dotes	Gabe
[11] **notario**	notary public	notaire	Notar
[12] **ateo**	atheist	athée	Atheist
[13] **aislarse**	to isolate oneself	s'isoler	sich zurückziehen
[14] **firme**	steady	ferme	stark
[15] **obra maestra**	masterpiece	chef d'œuvre	Meisterwerk
[16] **lámina**	illustration	planche	Illustration
[17] **mancha**	stain	tache	Flecken
[18] **hechizo**	enchantment	sorcier	Zauber
[19] **lienzo**	canvas	toile	Leinwand
[20] **orgulloso**	proud	orgueilleux, fier	stolz
[21] **erizo de mar**	sea urchin	oursin	Seeigel

ESPAÑOL	INGLÉS	FRANCÉS	ALEMÁN
[22] **retratar**	to portray	peindre	porträtieren
[23] **exponer**	to exhibit	exposer	ausstellen
[24] **carrera**	career	carrière	Karriere

Los primeros cuadros de Dalí

[1] **niño prodigio**	child prodigy	enfant prodige	Wunderkind
[2] **cuadro**	painting	tableau	Bild
[3] **retrato**	portrait	portrait	Porträt

2. Un extravagante en la Academia de Bellas Artes de Madrid

[1] **aspecto**	appearance	aspect	Aussehen
[2] **capa**	cape	couche	Umhang
[3] **bastón**	cane	canne	Gehstock
[4] **examen de ingreso**	entrance exam	examen d'entrée	Aufnahmeprüfung
[5] **andar siempre juntos**	to be inseparable	être ensemble	unzertrennlich sein
[6] **agitado**	turbulent	agité	stürmisch
[7] **tener confianza en sí mismo**	to be self-confident	avoir confiance en soi	Selbstvertrauen haben
[8] **inseparable**	inseparable	inséparable	unzertrennlich
[9] **tertulia**	literary or political discussion group	réunion entre amis	Gesprächskreis
[10] **fijarse (en algo)**	to notice or take an interest in	remarquer, s'intéresser à	aufmerksam werden auf
[11] **complementarse**	to complement	se complémenter	sich ergänzen
[12] **extrovertido**	extroverted	extraverti	extrovertiert
[13] **Semana Santa**	Easter	Pâques	Osterwoche
[14] **expulsar**	to expel	expulser	rauswerfen
[15] **incompetente**	incompetent	incompétent	inkompetent
[16] **huir**	to escape	fuir	fliehen
[17] **tener celos**	to be jealous	être jaloux	eifersüchtig sein
[18] **estrenar**	to premiere	la première de ... a lieu	uraufführen
[19] **decorado (en el teatro)**	scenery, stage set	les décors	Bühnenbild

3. Dalí en París: primer contacto con el movimiento surrealista

ESPAÑOL	INGLÉS	FRANCÉS	ALEMÁN
[1] éxito	success	succès	Erfolg
[2] interpretar	to interpret	interpréter	interpretieren
[3] influencia	influence	influence	Einfluss
[4] invisibilidad	invisibility	invisibilité	Unsichtbarkeit
[5] cadáver	cadaver	cadavre	Kadaver
[6] atravesar	to cross	traverser	durchkreuzen
[7] cuchilla de afeitar	straight razor	lame de rasoir	Rasiermesser
[8] guion	screenplay	scénario	Drehbuch
[9] película muda	silent movie	film muet	Stummfilm
[10] esquema narrativo	story line	schéma narratif	Erzählschema
[11] impactante	powerful, intense	saisissant	beeindruckend
[12] denunciar	to denounce	dénoncer	anzeigen
[13] comisaría	police station	commisariat	Kommissariat

Entrada y expulsión de Dalí en el grupo surrealista

ESPAÑOL	INGLÉS	FRANCÉS	ALEMÁN
[1] irracional	irrational	irrationnel	irrational
[2] iniciar	to initiate, begin	initier	beginnen
[3] figura	figure	figure	Figur
[4] infancia	childhood	enfance	Kindheit
[5] devorar	to devour	dévorer	verschlingen
[6] desafiar	to defy	défier	die Stirn bieten
[7] dinero en efectivo	cash	argent liquide	Bargeld

4. Gala y Dalí, una historia de amor

ESPAÑOL	INGLÉS	FRANCÉS	ALEMÁN
[1] galerista	gallery owner	galeriste	Galerist
[2] compromiso (entre dos personas)	engagement (between two people)	compromis, accord	Vereinbarung, Verlobung
[3] prejuicio	preconception	préjudice	Vorurteil
[4] superar	to overcome	surmonter	überwinden
[5] anular (una persona a otra)	to overshadow	annuler	in den Hintergrund drängen
[6] desheredar	to disinherit	déshériter	enterben
[7] casarse por lo civil	to celebrate a civil wedding	se marier à la mairie	standesamtlich heiraten
[8] posar	to pose	poser	Modell stehen

ESPAÑOL	INGLÉS	FRANCÉS	ALEMÁN

Gala, la musa del surrealismo

[1] aplastar	to crush	aplatir	zerdrücken
[2] odiar	to hate	haïr	hassen
[3] costillas	ribs	côtes	Rippen
[4] (estar) en equilibrio	to be balanced	être équilibré	im Gleichgewicht sein
[5] de frente	straight ahead	de face	von vorne
[6] pecho	breast	sein	Brust
[7] de espaldas	with one's back to something	de dos	von hinten
[8] hacer un homenaje	to pay tribute	rendre hommage à	eine Hommage machen
[9] borroso	blurred	trouble	unscharf

5. El éxito internacional

[1] escupir	to spit	cracher	ausspucken
[2] negar	to reject	nier	negieren
[3] valor (moral)	moral value	valeur (morale)	Wert (moralischer)
[4] insultar	to insult	insulter	beleidigen
[5] persistencia	persistence	persistence	Beharrlichkeit
[6] disfrutar	to enjoy	jouir	genießen
[7] estar satisfecho	(to be) content	satisfait (être)	zufrieden sein
[8] regañar	to scold	se disputer	beschimpfen
[9] reconciliarse	to reconcile	se réconcilier	sich aussöhnen
[10] testamento	will	testament	Testament
[11] construir	to build	construire	bauen
[12] hervir	to boil	bouillir	sieden
[13] deformar	to distort	déformer	entstellen
[14] apolítico	apolitical	apocaliptique	unpolitisch

Dalí conoce a Freud

[1] mecenas	patron, sponsor	mécène	Mäzen
[2] cándido	frank, naïve	candide	naiv
[3] maestría	skill	maîtrise	Meisterhand

ESPAÑOL	INGLÉS	FRANCÉS	ALEMÁN

6. Una estrella en Nueva York: el éxito americano de Dalí

ESPAÑOL	INGLÉS	FRANCÉS	ALEMÁN
[1] **grandes almacenes**	department store	grands magasins	Kaufhaus
[2] **escaparate**	shop window	vitrine	Schaufenster
[3] **maniquí**	mannequin	mannequin	Modellpuppe
[4] **exagerar**	to exaggerate	exagérer	übertreiben
[5] **narrador**	storyteller	narrateur	Erzähler
[6] **ilustrar**	to illustrate	illustrer	illustrieren

Dalí publicista

ESPAÑOL	INGLÉS	FRANCÉS	ALEMÁN
[1] **campaña de publicidad**	advertising campaign	campagne de publicité	Werbekampagne
[2] **marca**	brand name	marque	Marke
[3] **anuncio**	advertisement	annonce	Werbung
[4] **explotar**	to exploit	exploser	ausnutzen

7. La vuelta a España: retorno al clasicismo

ESPAÑOL	INGLÉS	FRANCÉS	ALEMÁN
[1] **victorioso**	victorious	victorieux	siegreich
[2] **principio**	principle, tenet	principe	Prinzip
[3] **descubrimiento**	discovery	découverte	Entdeckung
[4] **dictadura militar**	military dictatorship	dictature militaire	Militärdiktatur
[5] **acusar**	to accuse	accuser	anklagen
[6] **dar una conferencia**	to give a speech	donner une conférence	einen Vortrag halten
[7] **elogiar**	to praise	faire l'éloge	loben
[8] **traidor**	traitor	traître	Verräter

Ejemplos de la nueva etapa atómica

ESPAÑOL	INGLÉS	FRANCÉS	ALEMÁN
[1] **síntesis**	synthesis	synthèse	Synthese
[2] **cisne**	swan	cigne	Schwan
[3] **suspendido**	suspended	suspendu	aufhängen
[4] **de fondo**	in the background	de fond	im Hintergrund

ESPAÑOL	INGLÉS	FRANCÉS	ALEMÁN

8. Los años sesenta

[1] **anécdota**	anecdote	anecdote	Anekdote
[2] **envejecer**	to age, grow old	vieillir	altern
[3] **operación estética**	plastic surgery	opération esthétique	Schönheitsoperation
[4] **en ruinas**	in ruins	en ruine	Ruine
[5] **consentimiento**	consent	consentement	Einverständnis
[6] **complacer**	to please	satisfaire	gefallen
[7] **decadencia**	decline	décadence	Niedergang

Su hermana Anna Maria

[1] **de perfil**	in profile	de profil	im Profil
[2] **cordial**	friendly, nice	cordial	liebenswert
[3] **destruir**	to destroy	détruire	zerstören
[4] **influir (a otra persona)**	to influence	influencer	beeinflussen
[5] **entierro**	funeral	enterrement	Begräbnis

9. Los últimos años de Dalí

[1] **explorar**	to explore	explorer	erforschen
[2] **golondrina**	swallow	hirondelle	Schwalbe
[3] **cesta**	basket	panier	Korb
[4] **imaginario**	imaginary	imaginaire	imaginär
[5] **gripe**	flu	grippe	Grippe
[6] **temblar**	to shake	trembler	zittern
[7] **heredero**	heir	héritier	Erbe
[8] **ingresar**	to be admitted	être hospitalisé	einliefern
[9] **capilla ardiente**	funeral chapel	chapelle	Trauerhalle

El Teatro Museo Salvador Dalí

[1] **incendiarse**	to burn down	s'incendier	zu brennen beginnen
[2] **alcalde**	mayor	maire	Bürgermeister
[3] **proponer**	to propose	proposer	vorschlagen
[4] **bautizar**	to baptize	baptiser	taufen
[5] **cúpula transparente**	transparent dome	coupole transparente	transparente Kuppel
[6] **mujer encinta**	pregnant woman	femme enceinte	schwanger
[7] **grabado**	print, etching	gravure	Gravur

actividades

Cómo trabajar con este libro

Grandes Personajes es una serie de biografías de personajes de la cultura del mundo hispanohablante. Cada libro está escrito en forma de reportaje y narra la vida de la persona desde su nacimiento hasta su muerte. Para facilitar la lectura, al final de cada página hay un glosario en español con las palabras y expresiones más difíciles. Además, se incluyen varios recuadros que aportan información adicional sobre un tema relacionado con el capítulo al que acompañan. Al final del libro hay además un glosario en inglés, francés y alemán y notas culturales sobre algunos conceptos del mundo del español que aparecen en el texto.

El libro se complementa con una sección de actividades que tiene la siguiente estructura:

a) «Antes de leer». **Recomendamos realizar las actividades de esta sección antes de empezar a leer el texto**, ya que ayudarán a activar los conocimientos que tiene el lector sobre el tema y facilitarán la comprensión.

b) «Durante la lectura». Son **actividades destinadas a pautar la comprensión** de los diferentes capítulos y a ejercitar la comprensión auditiva mediante el trabajo con el audio.

c) «Después de leer». Se trata de propuestas variadas que **permiten poner en práctica la comprensión auditiva y de lectura, la expresión oral y escrita, la interacción oral y escrita y la mediación**. Tienen un carácter predominantemente abierto para que el propio lector (o el profesor que lee el libro con sus alumnos) pueda decidir cómo trabajar con ellas según sus necesidades. En muchas de ellas se propone un repaso al contenido del libro. En cada caso, **el lector puede decidir si vuelve a leer el fragmento en cuestión o prefiere escuchar la grabación correspondiente**. Igualmente, puede decidir si hace las actividades por escrito o de forma oral, en interacción con otros hablantes.

d) «Léxico». Actividades para **la sistematización, la profundi-zación y la ampliación del vocabulario**. Se tiene en cuenta que cada hablante tiene unos intereses y un bagaje personal específicos. Por eso se combinan actividades de respuesta cerrada con actividades más abiertas.

e) «Cultura». Esta sección contiene **propuestas para profundizar en los temas culturales** del libro.

f) La sección «Internet» propone **páginas web interesantes** para seguir investigando.

g) Por último, se facilitan las **soluciones** de las actividades de respuesta cerrada y propuestas de solución para algunas actividades de carácter más abierto.

ANTES DE LEER

1. ¿Sabes quién es Dalí? ¿Qué sabes de él? ¿Lo conoces más por sus pinturas o por su vida?

2. Mira los cuadros de Dalí de las páginas 8 y 45. Pertenecen a dos corrientes muy distintas dentro de su pintura. ¿Sabes a qué corriente pertenece cada cuadro (cubista, surrealista, impresionista, fauvista o clasicista)? ¿Cuál crees que pintó antes y cuál después?

3. En la página 6 hay una fotografía de Dalí. ¿Cómo crees que es?

DURANTE LA LECTURA

Capítulos 1-3

4. ¿Recuerdas de qué le gustaba disfrazarse a Dalí? ¿A ti te gustaba disfrazarte de lo mismo?

5. Aquí tienes unas frases que se refieren a personas de la familia y amigos de Dalí. ¿A quién se refiere cada una?

1. Picasso

a. *Su muerte, cuando Dalí tenía solo 16 años, fue el golpe más duro de su vida.*

2. Felipa, la madre de Dalí

b. *Fueron sus dos mejores amigos en la Residencia de Estudiantes.*

3. Salvador, el padre de Dalí

c. *Lo conoció en París, se hizo su amigo y le prestó dinero a Dalí para irse a América.*

4. Lorca y Buñuel

d. *Era autoritario, librepensador, apasionado y ateo.*

6. ¿Recuerdas en qué se basaron Dalí y Buñuel para hacer la película *Un perro andaluz*?

Capítulos 4-6

7. ¿Cómo era Gala? ¿Por qué se enamoró Dalí de ella?

8. «La única diferencia entre un loco y yo es que yo no estoy loco». ¿Puedes explicar el significado de esta frase pronunciada por Dalí?

9. En la etapa americana Dalí pinta, pero también hace cosas nuevas y diferentes. Haz una lista de sus trabajos más importantes en cada una de estas tres actividades en esta etapa.

Dalí diseñador

Dalí publicista

Dalí ilustrador

Capítulos 7-9

10. ¿Qué cambios sufre Dalí en los años cincuenta? ¿Qué opinas de esos cambios?

11. En la página 45 tienes el cuadro de Anna Maria, *Muchacha sentada vista de espaldas*. Describe el cuadro y di qué te sugiere. ¿Qué sentimientos te transmite?

Dalí se enfadó con su hermana y no volvió a verla durante el resto de su vida. Imagina los sentimientos de Dalí y los de su hermana.

Sentimientos de Dalí

Sentimientos de Anna Maria

12. En 1964 Dalí publica *Diario de un genio*. Vuelve a leer y a escuchar el capítulo 8 e
imagina cómo es un día normal en la vida del pintor y escríbelo.

DESPUÉS DE LEER

13. Las distintas etapas de la vida de Dalí están unidas a las ciudades en las que
vivió. Une cada ciudad con su etapa.

14. ¿Cuál es la etapa que más te gusta de Dalí? ¿Por qué? ¿Qué cuadros te gustan
más de esta etapa?

15. ¿Qué has aprendido de Dalí después de leer este libro? Haz una lista de 6 cosas que te parecen interesantes. Pueden ser sobre su vida, sus amigos, su obra,
etc. Puedes utilizar la página de notas incluida al final del libro para ello.

16. La frase de Dalí que abre este libro es: «Desde mi adolescencia he tenido el
vicio de pensar que todo me está permitido por el hecho de llamarme Salvador
Dalí». ¿Qué crees que quería decir Dalí con estas palabras? ¿Qué nos dice esta
frase sobre su personalidad?

LÉXICO

17. En el libro se utilizan muchas palabras y expresiones para describir a Dalí. Búscalas y haz una lista con todas ellas. Después escribe una descripción en la que hables de su físico, de su carácter y de su personalidad.

18. Une las palabras de la columna de la izquierda con las de la derecha para formar una expresión. Todas estas expresiones han aparecido en el libro.

obra	almacenes
dotes	de publicidad
niño	dinero
tener confianza	en una clínica
prestar	un compromiso
romper	prodigio
dinero	maestra
casarse	artísticas
grandes	en sí mismo
campaña	en efectivo
dar	por lo civil
ingresar	una conferencia

CULTURA

19. Busca en internet o en libros de arte el cuadro *La persistencia de la memoria* y escribe tu propia interpretación. Puedes utilizar estos recursos.

En el cuadro se ve(n)...
Al fondo hay...
Creo que Dalí habla de...
Pienso que ... simboliza...
... puede significar...
Se llama así porque...
(No) me gusta porque...

INTERNET

20. Busca en internet imágenes de las obras de Dalí. Escoge una y prepara una presentación sobre ella para tus compañeros.

SOLUCIONES

2.

Muchacha sentada vista de espaldas es un cuadro de influencia renacentista y *El gran masturbador* es un cuadro surrealista. El primero se pintó en 1925 y el segundo en 1929.

4.

A Dalí le gustaba disfrazarse de «rey niño», con un manto y una corona.

5.

1: c 2: a 3: d 4: b

6.

En dos sueños. Buñuel soñó que una nube atravesaba la luna y una cuchilla cortaba un ojo. Dalí soñó con una mano llena de hormigas.

8.

Probablemente Dalí quería decir que las cosas que hacía eran las que hace una persona loca, pero él las hacía consciente y voluntariamente.

9.

Dalí diseñador: diseñó los escaparates y los maniquíes para unos grandes almacenes de la Quinta Avenida de Nueva York; diseñó los decorados para la película *Spellbound* de Alfred Hitchcock; diseña decorados para el Ballet Internacional de Nueva York; diseña muebles y joyas, y decora el apartamento de la millonaria Helena Rubinstein.

Dalí publicista: Colaboró con revistas norteamericanas, como *Vogue, Harper's Bazar*, creó el nuevo logo de Chupa Chups y participó en varios anuncios publicitarios para marcas como Alka Seltzer, Brandy Veterano, Chocolates Lavin y Aerolíneas Branniff.

Dalí ilustrador: ilustró con dibujos y fotografías su libro *Vida secreta de Salvador Dalí*; ilustró una edición del *Quijote*.

13.

París - surrealismo. Madrid - cubismo, fauvismo y futurismo. Nueva York - surrealismo. Portlligat - clasicismo.

16.

Salvador Dalí sabe que su nombre es famoso y que por eso puede hacer lo que quiera.

17.

Sensible, creativo, tímido, introvertido, extravagante, exhibicionista, rebelde…

18.

obra maestra, dotes artísticas, niño prodigio, tener confianza en sí mismo, prestar dinero, romper un compromiso, dinero en efectivo, casarse por lo civil, grandes almacenes, campaña de publicidad, dar una conferencia, ingresar en una clínica.

Notas

¿Quieres leer más?

Frida Kahlo
VIVA LA VIDA

Che
GEOGRAFÍAS
DEL CHE

Picasso
LAS MUJERES
DE UN GENIO